Edmond

et

Amandine

Données de catalogage avant publication (Canada)

Duchesne, Christiane, 1949 -
Edmond et Amandine
Pour enfants.

ISBN 2-89512-050-1 (br.)
ISBN 2-89512-100-1 (rel.)

I. Beshwaty, Steve.   II. Titre.

PS8557.U265E34 1999   jC843'.54   C99-940461-X
PS9557.U265E34 1999
PZ23.D82Ed 1999

Directrice de collection : Lucie Papineau
Direction artistique et graphisme : Primeau & Barey

Dépôts légaux : 3e trimestre 1999
Bibliothèque nationale du Québec
Bibliothèque nationale du Canada

Imprimé au Canada
10 9 8 7 6 5 4 3

Dominique et compagnie
Une division des éditions Héritage inc.
300, rue Arran, Saint-Lambert (Québec) J4R 1K5
Téléphone : (514) 875-0327
Télécopieur : (450) 672-5448
Courriel : info@editionsheritage.com

THE CANADA COUNCIL | LE CONSEIL DES ARTS
FOR THE ARTS | DU CANADA
SINCE 1957 | DEPUIS 1957

SODEC
SOCIÉTÉ DE
DÉVELOPPEMENT
DES ENTREPRISES
CULTURELLES
Québec ::

Nous remercions le Conseil des Arts du Canada de l'aide
accordée à notre programme de publication, ainsi que la
SODEC et le ministère du Patrimoine canadien.

Edmond et Amandine

Texte :
Christiane Duchesne
Illustrations :
Steve Beshwaty

Edmond lit trop. Il dévore les histoires de princesse en haut d'une tour. Il aime les histoires d'amour et de *ils eurent de nombreux enfants*, les cœurs qui battent très fort, les duels, les jeunes filles en pleurs et le baiser du prince.

Lorsqu'il ferme les yeux, le soir dans son lit, Edmond voit Amandine s'avancer vers lui avec son sourire de souris tendre comme un chocolat. Et ses yeux, bien noirs, bien ronds, bien clairs.

Edmond place la main sous son oreiller et serre les doigts autour d'un papier tout usé sur lequel il a tracé, en grandes lettres bleues,

Amandine.

–J'irai la chercher une nuit de pleine lune. Je trouverai un cheval, je bondirai sur son dos et je lui dirai : « Va, ma bonne bête, ce soir, nous enlevons Amandine. » Je monterai à sa fenêtre entrouverte et je chuchoterai : « C'est moi, Edmond, votre amour... »

Tous les soirs, Edmond rêve de partir avec Amandine, de traverser avec elle des forêts infinies, des rivières indomptables et des champs blonds jusqu'à l'horizon.

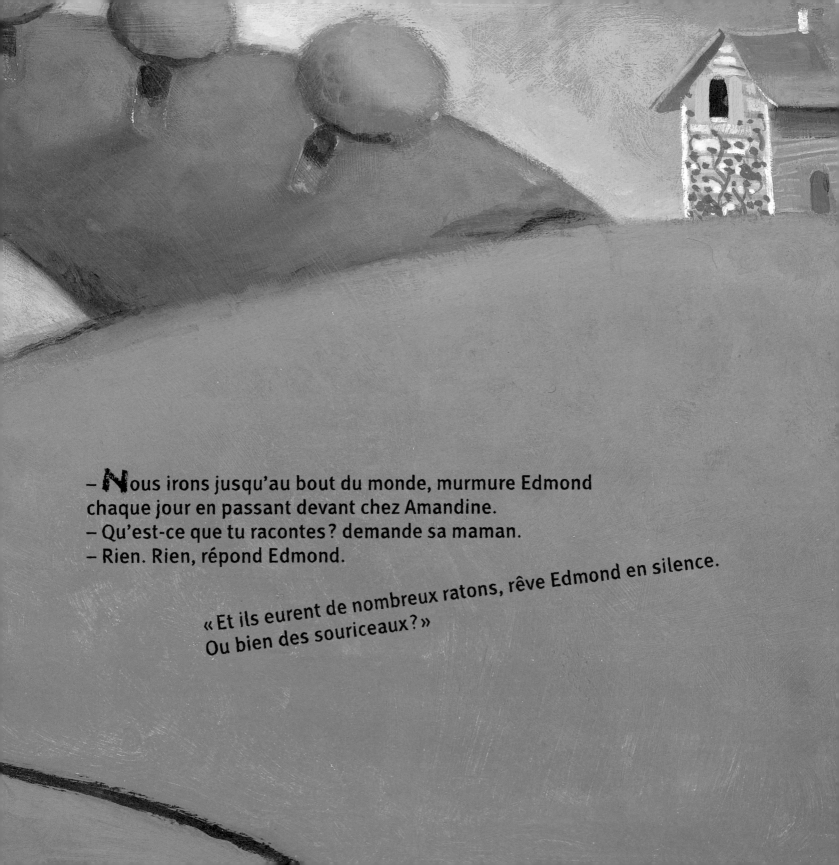

– Nous irons jusqu'au bout du monde, murmure Edmond
chaque jour en passant devant chez Amandine.
– Qu'est-ce que tu racontes? demande sa maman.
– Rien. Rien, répond Edmond.

« Et ils eurent de nombreux ratons, rêve Edmond en silence.
Ou bien des souriceaux ? »

– Est-ce qu'on peut mourir d'amour ? demande un jour Edmond à sa mère.

– Bien sûr que oui ! s'exclame-t-elle. Surtout dans les livres, précise-t-elle en s'essuyant les mains sur son tablier blanc. Tu as terminé tes devoirs ?

Edmond additionne les chiffres, multiplie et soustrait. « Deux Amandines multipliées par cinq égalent dix Amandines... »

Une nuit, Edmond se réveille en sursaut. Il rêvait doucement quand, tout à coup, le rêve a pris des allures de cauchemar. Amandine criait : « Les ratons sont tous bêtes ! » et elle éclatait de rire.

Rejetant ses couvertures, il sort par la fenêtre.

Il s'élance au pas de course et file entre les arbres en souhaitant très fort que les treize chouettes soient occupées ailleurs, que la taupe dorme et que le grand héron soit blotti bien au chaud dans son nid. Il court à perdre le souffle.

Enfin, la maison d'Amandine se dresse devant lui.

« Où est sa chambre ? » se demande Edmond.

S'accrochant fermement au rosier qui grimpe au mur de la maison, Edmond monte à la première fenêtre. Là, dans un rayon de lune, il la voit. Amandine endormie, sous un gros édredon bordé de dentelle blanche.

— Amandine, souffle-t-il doucement. Amandine !

Mais la souris ronfle trop fort pour l'entendre. Alors, Edmond redescend, la peau griffée par les épines, la tête remplie du parfum des roses. Dans son oreille, souvenir inoubliable, le ronflement de sa bien-aimée.

Le lendemain matin, devant la maison d'Amandine, Edmond inspire à fond. «J'entre!» se dit-il. Il a tout préparé : les mots, les phrases, un cadeau et sa lettre d'amour. Sur un grand papier blanc, Edmond a écrit :

Je vous aime et je veux partir au bout du monde avec vous.

Dans le papier, plié en forme d'enveloppe, il a placé un chocolat. À cause du tendre sourire d'Amandine.

– C'est pour vous, dit-il d'une voix qu'il ne reconnaît pas.

Amandine défait le papier, le jette et croque le chocolat.

– C'est une gentille idée, dit-elle avec son sourire tendre.
J'aime le chocolat. Tu veux un bonbon en échange ?

Edmond sourit, des larmes plein les yeux, et sort en murmurant :
– Non merci, madame...

« Et pourtant, je l'enlèverai ! se dit-il en serrant les poings au fond de ses poches. Je l'enlèverai, je l'épouserai s'il le faut, et nous irons au bout du monde ! Elle est trop jolie, elle a de trop beaux yeux, un pelage parfait... Et le plus beau de tous les magasins de bonbons. »

Edmond regarde, par la porte qu'il n'a pas refermée, Amandine perchée sur son échelle, un grand pot de caramels au bout des bras.

Ce jour-là, Edmond écrit sur une autre feuille blanche : *Amandine, je vous aime et si vous ne faites rien, je vais mourir d'amour.* Il glisse la feuille pliée en quatre dans sa poche, sort par la fenêtre, court jusque chez Amandine et entre en trombe dans le magasin.
– C'est pour vous, dit-il d'une voix qu'il ne reconnaît toujours pas.

Amandine défait le papier, sourit curieusement et plonge ses yeux dans ceux d'Edmond.
– Pas de chocolat... murmure-t-elle.
– Seulement des mots, dit Edmond.

Amandine prend Edmond par la main et sort avec lui
dans le soleil de fin d'après-midi.
– Edmond... dit-elle en fixant la feuille blanche qu'elle tient
encore à la main.

Le cœur d'Edmond bondit dans tous les sens.
– Edmond, je ne sais pas lire, chuchote-t-elle à son oreille.

Lorsque Edmond rentre chez
lui, il tire de son armoire un
cahier neuf, un crayon noir,
un crayon rouge et une gomme
à effacer presque propre.

– Maman, à partir d'aujourd'hui, tu m'appelleras professeur Edmond. Tu veux bien ?
– Vous enseignez quoi, professeur Edmond ?
– L'écriture.

Ce soir-là, au moment où Amandine ferme le magasin,
Edmond l'attend dans la cuisine.

Sous l'œil patient du raton, elle trace entre deux lignes
des processions de grands *A* pour Amandine, de grands *E*
pour Edmond, et des *b* et des *c* pour n'importe qui.

Chaque soir, dans son lit, Edmond compte les bonbons qu'Amandine lui donne pour payer ses leçons. Rien à faire, elle y tient.

Lorsqu'il ferme les yeux avant de s'endormir, il voit la main d'Amandine tracer des *j* et des *v*, des *i* et des *m*, tracer lentement toutes ces jolies lettres qui, assemblées dans le bon ordre, formeront un jour les mots qu'Edmond attend tellement. Un jour, Edmond le sait, Amandine écrira :

Edmond, je vous aime.